# ALBERTINA ANDA ARRIBA
## EL ABECEDARIO

Nancy María Grande Tabor

SCHOLASTIC INC.

New York   Toronto   London   Auckland   Sydney

Dedicado al personal y a los niños de Flowery School.

Copyright © 1992 by Charlesbridge Publishing.
All rights reserved. Published by Scholastic Inc., 555 Broadway,
New York, NY 10012, by arrangement with Charlesbridge Publishing.
Printed in the U.S.A.
ISBN 0-590-92624-1

3 4 5 6 7 8 9 10      09      03 02 01 00 99 98 97

**A**lbertina **a**nda **a**rriba en el **a**vión.

¿Puedes encontrar
    la araña
    la abeja
    los árboles
    algo que está arriba
    algo que está abajo?

¿Cuántas alas tiene el avión?

¿Cómo se ve el mundo desde arriba en un avión?

Aa

**B**enito **b**ota el **b**alón **b**ajo el **b**alcón.

¿Puedes encontrar
    el balcón
    algo blanco
    el barco?

¿Dónde viven las ballenas?

¿Para qué sirve un faro?

Bb

**C**arolina **c**ome **c**acahuates.

¿Puedes encontrar
   los cacahuates
   el caracol
   algo de color café?

# Cc

Cuenta los cocos. Cuenta los cacahuates.

¿Hace frío o hace calor donde viven los cocodrilos?

**Ch**ata **ch**upa **ch**ocolate.

¿Puedes encontrar
    los cocos
    el chimpancé
    el chocolate?

¿Son grandes o chicos los chimpancés?

¿Chacotean mucho los chimpancés?

**D**alia **d**a **d**ulces a **D**avid.

¿Puedes encontrar
    dos dulces
    dos delfines
    dos ojos?

¿Qué tipo de animal son Dalia y David?

¿De qué color es el agua?

# Dd

**E**rnesto **e**nseña a los **e**studiantes.

¿Puedes encontrar
   un elefante
   dos ojos
   tres bolas en el árbol
   cuatro patas?

¿Son enormes o pequeñas las orejas del elefante?

¿Con qué escuchas?

# Ee

**F**átima se **f**ija en las **f**lores.

¿Puedes encontrar
    la foca
    las flores
    la fruta?

¿De qué colores son las flores?

¿Quién está flotando?

# Ff

**G**abriel **g**oza los **g**lobos.

¿Puedes encontrar
el gato
algo de color gris
el gorro
el gusano?

¿Es un gato gordo o flaco?

¿Por qué Gabriel goza los globos?

# Gg

**H**umberto **h**ace **h**elados.

¿Puedes encontrar
    una hormiga
    dos hongos
    la olla honda del helado
    cinco conos
    quince círculos?

¿Qué sabores de helado tiene Humberto?

¿Qué sabor te gusta más?

**I**rma **ir**á a la **i**sla.

¿Puedes encontrar
    la iguana
    la isla
    las plantas?

¿De qué color es la iguana?

¿Por qué crees que Irma quiere ir a la isla?

**Ii**

**J**orge **j**uega en el **j**ardín.

¿Puedes encontrar
    la jirafa
    la pelota
    el árbol
    el pájaro?

¿Es largo o corto el cuello de la jirafa?

¿Te gustaría tener un cuello tan largo?

# Jj

**K**arina pesa quince **k**ilos.

¿Puedes encontrar
    una nariz
    dos ojos
    tres ramas
    cuatro patas?

¿Por qué la rama se inclina cuando Karina se sienta?

¿Dónde viven los koalas?

# Kk

**L**aura lee libros a **l**a **l**uz de **l**a **l**una
en **l**a **l**aguna.

¿Puedes encontrar
    la luna
    los lirios
    el libro
    la laguna?

¿Cuántos círculos encuentras?

¿Es luna llena?

**Ll**

**Ll**orona **ll**eva la **ll**anta **ll**ena de **ll**uvia.

¿Puedes encontrar
  las lágrimas
  la lluvia
  la llanta?

¿Qué tipo de animal es Llorona?

¿Por qué está llorando?

Ll ll

**M**anuel **m**onta su **m**oto.

¿Puedes encontrar
    las mariposas
    la moto
    las montañas
    algo morado
    el mar?

¿Qué tiene el mapache en su mano?

¿Preferirías estar en las montañas o en el mar?

# Mm

**N**ora **n**ada con sus **n**ueve **n**ietos.

¿Puedes encontrar
las nubes
el nido
las naranjas
los nietos?

¿Cuántas naranjas hay en cada árbol?

¿Cómo se siente Nora nadando con sus nietos?

# Nn

La señora cigüeña se baña y sueña.

¿Puedes encontrar
    el bañadero
    la piña
    la caña
    la cigüeña?

¿Con qué sueña la cigüeña?

¿A ti te gusta la piña?

# Ññ

**O**felia **o**frece una **o**ferta.

¿Puedes encontrar
    la oveja
    un ojo
    ocho gorritas
    once calcetines?

¿De dónde viene la lana para la ropa?

Si Ofelia vende pares de calcetines,
    ¿qué problema tendrá?

**P**epe se **p**asea **p**or las **p**iedras.

¿Puedes encontrar
    los peces
    las piedras
    las plantas del mar?

¿Cuántos tentáculos tiene un pulpo?

¿Por qué no hay pájaros en este dibujo?

# Pp

**Q**uintana se **q**ueja del **q**ueso.

¿Puedes encontrar
el queso grande
quince agujeros en el queso grande
el queso chiquito
tres agujeros en el queso chiquito?

¿Cómo sabes que Quintana no está contenta?

¿Por qué se queja?

Qq

**R**oberto se **r**emoja en el **r**ío.

¿Puedes encontrar
 el rinoceronte
 el río
 las rosas?

¿De qué color son las rosas?

¿Por qué está remojándose?

# Rr

**S**oledad **s**aca **s**u **s**ombrero.

¿Puedes encontrar
    el sol
    el sombrero
    unas hojas del árbol
    un lugar en la sombra?

¿Duerme la lechuza en el día o en la noche?

¿Por qué está sacando Soledad su sombrero?

**Ss**

**T**omás **t**oma **t**é.

¿Puedes encontrar
   la tortuga
   la taza
   trece divisiones en el caparazón
   dos verdes diferentes?

¿Qué comen las tortugas?

¿Dónde viven las tortugas?

**Ú**rsula **u**sa **u**n **u**niforme.

¿Puedes encontrar
    un unicornio
    un cuerno
    un ojo
    una cola
    una cabeza?

¿Qué colores hay en este dibujo?

¿Por qué crees que Úrsula usa uniforme?

# Uu

**V**erónica **v**ende **v**ioletas.

¿Puedes encontrar
   las violetas
   algo de color verde
   veinte puntos negros?

¿Cuántas violetas hay?

¿Hay una docena de flores?

Vv

**W**illiam pidió prestado el disco
de **W**agner.

¿Puedes encontrar
    el cangrejo ermitaño
    el tocadiscos
    el disco
    la letra W que hace la planta?

¿Si el disco es prestado, es de William?

# Ww

**X**óchil toca el **x**ilófono.

¿Puedes encontrar
    a Xóchil
    la letra X
    el xilófono?

¿De qué colores son las plumas del pájaro?

¿A ti te gusta la música del xilófono?

**Y**ahaira **y**a tiene **y**eso.

¿Puedes encontrar
    el yac
    dos cuernos
    el yeso
    tres patas sin yeso?

¿Por qué trae yeso?

¿Por qué se pone yeso cuando se rompe un hueso?

# Yy

**Z**azil **z**apatea **z**amba en el **z**acate.

¿Puedes encontrar
   la zorra
   los zopilotes
   el zacate?

¿Qué buscan los zopilotes?

¿Por qué baila Zazil?

# Zz

| | |
|---|---|
| A | Albertina anda arriba en el avión. |
| B | Benito bota el balón bajo el balcón. |
| C | Carolina come cacahuates. |
| Ch | Chata chupa chocolate. |
| D | Dalia da dulces a David. |
| E | Ernesto enseña a los estudiantes. |
| F | Fátima se fija en las flores. |
| G | Gabriel goza los globos. |
| H | Humberto hace helados. |
| I | Irma irá a la isla. |
| J | Jorge juega en el jardín. |
| K | Karina pesa quince kilos. |
| L | Laura lee libros a la luz de la luna en la laguna. |
| Ll | Llorona lleva la llanta llena de lluvia. |
| M | Manuel monta su moto. |
| N | Nora nada con sus nueve nietos. |
| Ñ | La señora cigüeña se baña y sueña. |
| O | Ofelia ofrece un oferta. |
| P | Pepe se pasea por las piedras. |
| Q | Quintana se queja del queso. |
| R | Roberto se remoja en el río. |
| S | Soledad saca su sombrero. |
| T | Tomás toma té. |
| U | Úrsula usa un uniforme. |
| V | Verónica vende violetas. |
| W | William pidió prestado el disco de Wagner. |
| X | Xóchil toca el xilófono. |
| Y | Yahaira ya tiene yeso. |
| Z | Zazil zapatea zamba en el zacate. |